PETER ILJITSCH TSCHAI

# DIE JAHRESZEITEN

## The Seasons – Les Saisons

für Klavier / for Piano

op. 37 bis

Herausgegeben von / Edited by

Andreas Schenck



C. F. PETERS

FRANKFURT/M. · LEIPZIG · LONDON · NEW YORK

# INHALT / CONTENTS

## Die Jahreszeiten / The Seasons

# Vorwort

Peter Iljitsch Tschaikowskys Klavierzyklus *Die Jahreszeiten* entstand als eine Auftragsarbeit für die in St. Petersburg erscheinende musikalische Monatszeitschrift *Le Nouvelliste.* Im November 1875 bat deren Herausgeber und Verleger Nikolaj Matvejevitsch Bernard den Komponisten, für die Ausgaben des Jahrgangs 1876 jeweils ein Klavierstück zu verfassen, das den poetischen Charakter eines jeden Monats in Musik nachempfinden sollte. Bernard gab dazu zwölf programmatische Titel vor und wählte wohl auch die Epigramme russischer Dichter aus, die den Klavierstücken vorangestellt wurden. Zur Entstehung lesen wir in den *Erinnerungen* von Nikolai Kaschkin: „Tschaikowski nahm den Auftrag an und führte ihn mit der ihm eigenen Gewissenhaftigkeit aus. Er selbst empfand diese Arbeit als sehr leicht, unbedeutend, und damit er den vereinbarten Termin für die Abgabe der Stücke nicht irgendwie versäumt, erteilte er seinem Diener den Auftrag, ihn jeden Monat an einem bestimmten Tag an den Auftrag zu erinnern. Der Diener hielt sich sehr genau an diese Order und erinnerte jeden Monat an einem bestimmten Tag: 'Peter Iljitsch, es ist Zeit für die Sendung nach Petersburg', und Peter Iljitsch setzte sich hin, schrieb das Stück in einem Zuge und sandte es ab. Ungeachtet dieser offensichtlichen Oberflächlichkeit bei der Komposition gelang dieser Zyklus von Klavierkompositionen ausgezeichnet."[1]

Nach Ablauf des Jahrgangs 1876 offerierte Bernard seinen Zeitschriftenabonnenten als Treueprämie einen Sammeldruck, der noch einmal alle zwölf Kompositionen zusammengefaßt enthielt. Dem Zyklus wies er nun die Opuszahl 37 zu sowie auch erstmals den bis heute verwendeten (aber im engeren Sinne nicht zutreffenden) Haupttitel *Die Jahreszeiten.* 1885 erwarb Tschaikowskys Hauptverleger P.I. Jürgenson die Rechte an den Klavierstücken und ließ sie noch im selben Jahr unter dem Titel *Die Jahreszeiten. 12 Charakterbilder für Klavier* im Druck erscheinen. Da die von Bernard seinerzeit recht willkürlich vergebene Opuszahl 37 nach Jürgensons Zählung bereits mit der *Grande Sonate* für Klavier belegt war, wurde der Zyklus fortan als op. $37^{bis}$ bezeichnet.[2]

Die vorliegende Neuausgabe der *Jahreszeiten* ersetzt die 1923 von Walter Niemann in der Edition Peters vorgelegte Ausgabe (EP 3781), die durch manche eigenmächtige Ergänzungen und Spielanweisungen des Herausgebers den Anforderungen der modernen Editionspraxis nicht mehr genügt. Andererseits haben sich die Fingersätze Niemanns im allgemeinen bewährt und konnten daher weitgehend beibehalten werden. Aus der alten Ausgabe übernommen wurde auch die deutsche Übersetzung der russischen Epigramme.

*Andreas Schenck*

[1] Nikolai Kaschkin, *Meine Erinnerungen an Peter Tschaikowski* [russ. Orig.-Ausgabe: Moskau 1896], hg. von Ernst Kuhn, Berlin 1992 (= Musik konkret, 1), S. 118.

[2] Mitunter auch unter *op. 37a* geführt; vgl. *Systematisches Verzeichnis der Werke von Pjotr Iljitsch Tschaikowsky, Ein Handbuch für die Musikpraxis*, hg. vom Tschaikowsky-Studio Institut International, Hamburg 1973.

# Preface

Peter Ilyich Tchaikovsky's piano cycle *The Seasons* arose in response to a commission from *Le Nouvelliste*, a monthly musical journal published in St. Petersburg. The editor and publisher, Nikolai Matveyevich Bernard, asked the composer in November 1875 to write, for each issue in 1876, a piano piece depicting the poetic character of the month concerned. Bernard suggested twelve programmatic titles and probably selected the epigrams by Russian poets that precede each of the pieces. Nikolai Kashkin recalled the work's genesis in his memoirs: "Tchaikovsky accepted the commission and carried it out with his habitual punctiliousness. He himself found the task very simple and inconsequential, and in order to maintain the prearranged delivery schedule he instructed his servant to remind him about the commission on a particular day each month. The servant followed this order to the letter and reminded him each month on a particular day: 'Peter Ilyich, it's time for your shipment to St. Petersburg'. Peter Ilyich then sat down, wrote the piece in a single sitting, and sent it off. Despite the obvious nonchalance of its creation, the cycle of piano pieces came off magnificently."[1]

When the year came to an end Bernard offered a collective print of all twelve pieces to his subscribers as a reward for their loyalty. He assigned the cycle the opus number 37 and gave it the title *The Seasons* by which, although strictly speaking inaccurate, it is known today. In 1885 Tchaikovsky's principal publisher, P. I. Jürgenson, obtained the rights to the pieces and had them reissued in the same year as *Die Jahreszeiten: 12 Charakterbilder für Klavier* ("The Seasons: Twelve Characteristic Pictures for Piano"). Since the opus number 37 quite arbitrarily selected by Bernard conflicted with the *Grande Sonate* for piano in Jürgenson's numbering system, the cycle was thenceforth known as op. $37^{bis}$.[2]

The present new edition of *The Seasons* supersedes the 1923 Peters edition by Walter Niemann (EP 3781), whose willful additions and performance instructions make it unsuitable for the purposes of a modern edition. On the other hand, Niemann's fingering has generally proved its worth and has largely been retained. We have also adopted the German translations of the Russian epigrams.

*Andreas Schenck*

[1] Nikolai Kashkin: *Meine Erinnerungen an Peter Tschaikowski*, ed. Ernst Kuhn, Musik konkret, i (Berlin, 1992), p. 118; orig. pubd. in Russian (Moscow, 1896).

[2] and sometimes as *op. 37a*: see *Systematisches Verzeichnis der Werke von Pjotr Iljitsch Tschaikowsky: Ein Handbuch für die Musikpraxis*, ed. by the Tchaikovsky Studio Institute International (Hamburg, 1973).

# DIE JAHRESZEITEN

## ВРЕМЕНА ГОДА

### ЯНВАРЬ

У камелька

И мирной неги уголок
Ночь сумраком одела,
В камине гаснет огонек,
И свечка нагорела.

*А. Пушкин*

### Januar

Am Kamin

Die Nacht verhüllt im Dämmerschein
den Winkel stiller Wonnen,
das Feuer im Kamin wird klein,
die Kerze ist zerronnen.

*A. Puschkin*

P. I. Tschaikowsky (1840 – 1893)
op. 37 bis
Herausgegeben von Andreas Schenck

**Moderato semplice, ma espressivo**

*) Im Autograph ist dieser Takt zweimal notiert; vgl. Revisionsbericht.

*) *In the autograph this bar is notated twice. See critical report.*

poco riten.
a tempo
leggierissimo

*) Die Takte 50 und 51 fehlen im Autograph; vgl. Revisionsbericht.

*\) Bars 50 and 51 are missing in the autograph. See critical report.*

Tempo I
63
p
67
p
poco più f
71
p
75
poco cresc.
78
79
mf
81
dim.
p

85
p
89
cresc.
mf
93
p
poco riten.
97
pp
100
ppp
8

# ФЕВРАЛЬ

## Масляница

Скоро масляницы бойкой
Закипит широкий пир.
*Вяземский*

# Februar

## Karneval

Bald schäumt auf
der Fastnachtswoche
gastliches und frohes Fest.
*Wjasemski*

f
p
cresc.
p
cresc.
f

56
60
65
69
74
80
cresc. poco a poco

L'istesso tempo

p
cresc.
f
ff
p

140
cresc. poco a poco
145
150
ff
154
158
mf
p
163
p
pp
fff

## МАРТ

### Песнь жаворонка

Поле зыблется цветами,
В небе вьются света волны,
Вешних жаворонков пенья
Голубые бездны полны.

*А. Майков*

## März

### Lied der Lerche

Licht und Glanz des Himmels fallen
auf die Blumen, die noch schliefen;
Frühlings-Lerchenlieder schallen
in den hellen blauen Tiefen.

*A. Maikow*

poco riten.
a tempo
dim.
p
pp
ppp

# АПРЕЛЬ

## Подснежник

Голубенький, чистый
Подснежник-цветок,
А подле сквозистый
Последний снежок.
Последние слезы
О горе былом
И первые грезы
О счастьи ином . . .

*А. Майков*

# April

## Schneeglöckchen

Die Schneeschicht durchschimmert
der sonnige Schein;
ein Schneeglöckchen flimmert,
so hellblau und rein.
Die letzten der Tränen
ums alte Geschick
und ernstes Ersehnen
der Träume vom Glück . . .

*A. Maikow*

**Allegretto con moto e un poco rubato**

21
p
25
p con grazia
p
29
p
p
33
mf
37
p

41
p
45
p
49
mf
dim.
53
p
57
p dolce
poco cresc.

62
mf
p
67
marcato la melodia
cresc.
più
f
72
dim.
pp
77
82
morendo si poco a poco
ppp

## МАЙ

### Белые ночи

Какая ночь! На всем какая нега!
Благодарю родной полночный край!
Из царства льдов, из царства вьюг и снега
Как свеж и чист твой вылетает май.

*А. Фет*

## Mai

### Helle Nächte

Welch eine Nacht! Welch wonnige Gefühle!
Ich danke dir, mein mitternächtges Land!
Wie frisch und rein ist diese Maienkühle,
die nun aus Eis und Wintersturm erstand!

*A. Fet*

Allegretto giocoso
mf
p
cresc.
poco rit.

poco meno mosso
a tempo
ritard.
dim.
dim.

Andantino
p
poco cresc.
poco riten.
pp
a tempo
8
p
p espress.
pp
ppp

# ИЮНЬ

## Баркарола

Выйдем на берег, там волны
Ноги нам будут лобзать,
Звезды с таинственной грустью
Будут над нами сиять.

*А. Плещеев*

# Juni

## Barkarole

Laß an der Küste die Wellen
kosen mit unserem Fuß;
strahlende Sterne uns senden
wehmütig heimlichen Gruß.

*A. Pleschtschejew*

*) Tempoangabe nicht im Autograph.
*) *Tempo indication not in the autograph.*

Tempo I
energico f
mf
p
Ped.
più f
dim.
p

78
82
p
86
89
pp
92
un poco cresc.
96
pp

# ИЮЛЬ

## Песнь косаря

Раззудись, плечо,
Размахнись, рука!
Ты пахни в лицо,
Ветер с полудня!

*А. Кольцов*

# Juli

## Lied des Schnitters

Hand, die mir so juckt,
hol zum Schlage aus!
Wind, vom Süden her
weh' mir ins Gesicht!

*A. Kolzow*

**Allegro moderato con moto**

7

17
20
ff
24
26
29

poco dim.
mf

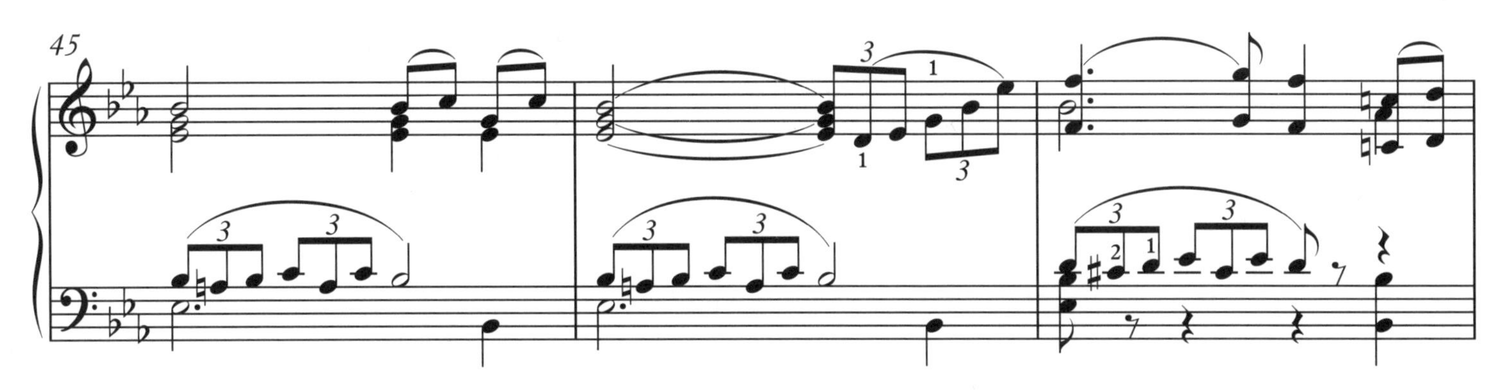
45
3
1
1
3
3
3
3
3
3
3
2
1

48
poco a poco dim.
3
3
3
3
3
3

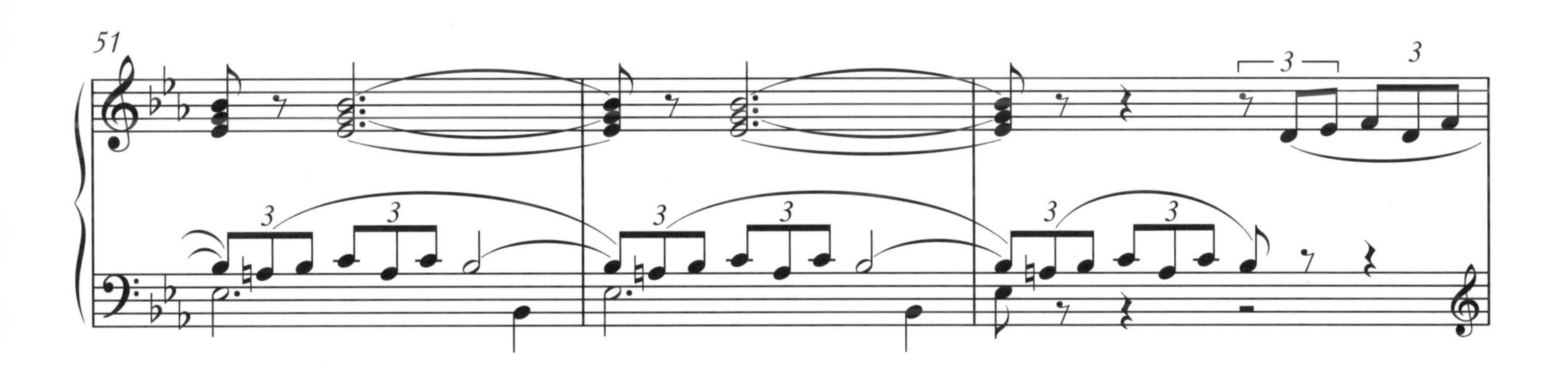
51
3
3
3
3
3
3
3
3

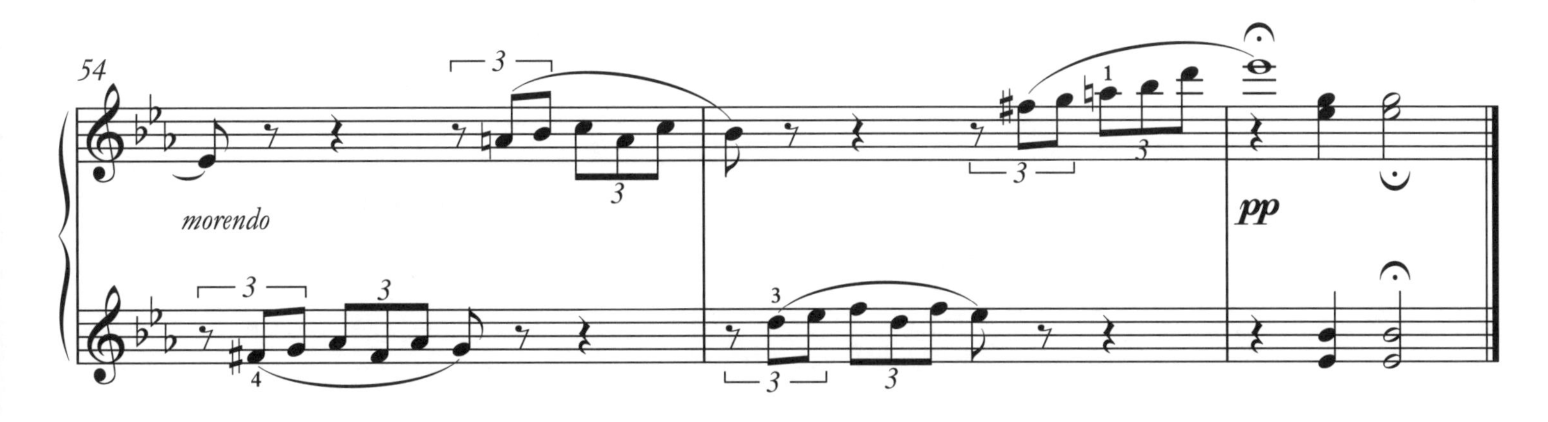
54
3
3
morendo
3
1
3
pp
3
3
4
3
3

## АВГУСТ

### Жатва

Люди семьями
Принялися жать,
Косить под корень
Рожь высокую!
В копны частые
Снопы сложены,
От возов всю ночь
Скрыпит музыка.

*А. Кольцов*

## August

### Die Ernte

Mann und Frau und Kind
mähen jetzt das Korn,
das so hoch im Halm
aufgeschossen ist,
binden Garben draus,
fahren es ins Dorf,
und die Nacht hindurch
hört man Wagen knarr'n.

*A. Kolzow*

cresc.
f
p
poco
cresc.
f

Dolce cantabile
cresc.
marcato
poco cresc.

80
mf
p espress.
87
cresc.
94
mf
dim.
p
101
108
poco cresc.
mf
115
p

Tempo I
pp
p
mf
p

154
cresc.
159
f
164
p
169
poco
174
cresc.
f

178
181
ff
185
mf
190
5
4
cresc.
1
2
194
8
ff

## СЕНТЯБРЬ

### Охота

Пора, пора! Рога трубят;
Псари в охотничьих уборах
Чем свет уж на конях сидят;
Борзые прыгают на сворах.

*А. Пушкин*
(Граф Нулин)

## September

### Die Jagd

Schon wird es Zeit! Es tönt das Horn!
Die Jäger sind schon aufgesessen;
die Meute springt und strebt nach vorn,
ist kaum zu halten unterdessen.

*A. Puschkin*
(Graf Nulin)

21
24
27
30
33
p

poco cresc.

mf
f
ff
f
f
cresc.

72
ff
3
76
80
84
87

# ОКТЯБРЬ

## Осенняя песнь

Осень, осыпается весь наш бедный сад,
Листья пожелтевшие по ветру летят . . .
*А. Толстой*

# Oktober

## Herbstlied

Unserm Garten raubt der Herbst
goldner Blätter Zier,
und im Winde flattern sie
langsam durchs Revier . . .
*A. Tolstoi*

**Andante doloroso e molto cantabile**

p
poco cresc.
mf
p
rit.
a tempo
p

poco cresc.
dim.
p marcato
poco più f
dim.
pp
morendo
pppp

## НОЯБРЬ

### На тройке

Не гляди же с тоской на дорогу,
И за тройкой во след не спеши,
И тоскливую в сердце тревогу
Поскорей навсегда заглуши.

*Н. Некрасов*

## November

### Troika–Fahrt

Blicke nicht voller Sehnsucht ins Weite,
eil dem Troikagespanne nicht nach,
laß für immer ersterben die Saite,
die im Herzen so schwermütig sprach.

*N. Nekrassow*

cresc.
f
dim.
p
grazioso
mf
sf
p
sf
p
sf
mf

33
sf
p
sf
p
sf
36
p
sf
1 3 2 1
mf
39
sf
p
sf
p
sf
42
mf
sf
p
sf
45
p
sf
48
f dim. poco a poco

p poco marcato la mano sinistra
sempre staccato
p espress.

sempre staccato

70
72
74
76
78
dim.

## ДЕКАБРЬ

### Святки

Раз в крещенский вечерок
Девушки гадали:
За ворота башмачок,
Сняв с ноги, бросали.

*В. Жуковский*

## Dezember

### Weihnachten

Mädchen hatten einstmals vor,
Zukunft zu befragen,
warfen ihren Schuh vors Tor
in den Weihnachtstagen.

*W. Shukowski*

molto rit.
poco cresc.
a tempo
p
p
p
p
mf
p

51
mf
dim.
p
57
molto rit.
poco cresc.
63
a tempo
p
69
75
molto rit.
a tempo

80
p
cresc.
84
mf
p
88
Trio
95
101
f
107
mf
f

mf
p
poco cresc.
mf

149
p
poco cresc.
155
molto rit.
a tempo
p
160
165
poco cresc.
molto rit.
172
a tempo
p
p

178
184
p
p
189
mf
194
p
199
mf
dim.
p

205
molto rit.
poco cresc.
211
a tempo
p
217
224
molto rit.
a tempo
p
cresc.
230
mf
p

Coda
236
p
poco a poco cresc.
242
248
f
254
mf
259
p

# Revisionsbericht

Als Hauptquelle der vorliegenden Ausgabe diente die Edition des Zyklus *Die Jahreszeiten* im Rahmen der Gesamtausgabe der Werke Tschaikowskys, herausgegeben vom Staatlichen Musikverlag Moskau, 1940ff. Die *12 Charakterbilder* op. $37^{bis}$ erschienen 1948 in Band 52 in einer maßstabsetzenden Ausgabe, der ihrerseits zwei Hauptquellen zugrundelagen: a) das Autograph (Staatliches Museum für Musikkultur M. Glinka, Moskau), enthaltend alle Stücke außer Nr. 4, *April*. Das Autograph wurde 1978 vom Verlag Muzyka, Moskau, als Faksimile veröffentlicht; b) die Ausgabe des Verlages P.I. Jürgenson, überliefert in drei verschiedenen editorischen Stadien: die früheste unter dieser Firmierung erschienene Auflage [ca. 1885] war eine Übernahme der eigentlichen Erstausgabe in *Le Nouvelliste* (1876). Dieser Publikation ließ Jürgenson später eine Sammelausgabe der Klavierwerke Tschaikowskys in sieben Bänden folgen. Vor Drucklegung unterzog der Komponist die *Jahreszeiten*, enthalten in Band III (1890), einer Revision – in Anbetracht zahlreicher Widersprüche und übersehener Fehler aber offenkundig recht halbherzig. Band III wiederum ging in seiner Lesart als Band 49 in eine weitere Publikationsreihe der Edition Jürgenson ein. Ein undatiertes Exemplar dieser Reihe diente für die neue Ausgabe der Edition Peters als Referenzquelle. Sein äußeres Titelblatt zeigt in russischer Sprache neben der Verlagsangabe den Wortlaut: *Edition Jurgenson / T*[omus]. *49 / P. Tschaikowsky. / Sämtliche Werke / komponiert für Klavier / Band III / Neue, durchgesehene Ausgabe.*

In den folgenden Einzelanmerkungen werden alle Abweichungen der vorliegenden Peters-Ausgabe von der Lesart der Hauptquelle mitgeteilt, außerdem alle musikalisch relevanten Unterschiede zwischen Haupt- und Referenzquelle.

GA = Gesamtausgabe, Bd. 52; EJ = Edition Jürgenson, Klavierwerke Band III, Neue, durchgesehene Ausgabe
o.S. = oberes System; u.S. = unteres System

*Januar (Am Kamin)*

| | |
|---|---|
| 1 | im Autograph Tempoangabe *simplice* (statt *semplice*) |
| 1-3 | in EJ *cresc.*-Gabel nur bis Ende T. 2 |
| 7 | *poco più f* nach EJ und analog T. 27; in GA *poco rit*[ard]. und nur *f* |
| 17 | Im Autograph ist dieser Takt zweimal notiert, vermutlich durch Seitenwechsel bedingter Schreibfehler des Komponisten: der Takt steht am Ende der *recto*-Seite und gleichlautend am Anfang der *verso*-Seite desselben Blattes. Die Reprise sieht die Wiederholung des Taktes (T. 79) nicht vor. |
| 27 | in GA *riten.* erst ab Zählzeit 2; hier analog T. 7 |
| 34 | o.S., letzte Note: *stacc.*-Punkt nicht in GA und EJ; Ergänzung analog T. 51 |
| 50f. | beide Takte nicht im Autograph, jedoch in EJ; möglicherweise späterer Zusatz von Tschaikowsky entsprechend der Parallelstelle T. 33f. |
| 73 | *p* nicht in EJ |
| 83-85 | in EJ *cresc.*-Gabel nur bis Ende T. 84 |

*Februar (Karneval)*

| | |
|---|---|
| 97-99, 105-107 | u.S.: Akzente nicht in GA und EJ; Ergänzung analog o.S. und T. 85-87 |
| 117 | u.S., 1. Note: *stacc.*-Punkt nicht in GA; Ergänzung nach EJ |

*März (Lied der Lerche)*

| | |
|---|---|
| 44 | u.S.: Akzent nicht in GA und EJ; Ergänzung analog T. 42f. |

*April (Schneeglöckchen)*

| | |
|---|---|
| 42-48 | alle dynamischen Angaben nicht in EJ |

*Mai (Helle Nächte)*

| | |
|---|---|
| 6 | u.S., 3. Note: in EJ Terz tiefer: 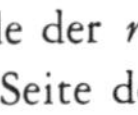 |
| 16 | *espress.* nicht in EJ |
| 55 | *a tempo* nicht in EJ |
| 65 | *p* nicht in EJ |
| 67 | u.S., 1. Note: in EJ Auflösungszeichen (*e*) statt ♯ (*eis*) |
| 77 | u.S.: in GA und EJ fehlt die angebundene punktierte Viertelnote einschließlich der Haltebögen |

*Juni (Barkarole)*

| | |
|---|---|
| passim | alle gestrichelten Bögen Ergänzungen des Herausgebers |
| 32 | u.S., vorletzte Note: in GA und EJ Akkord statt Quintklang; *g* getilgt analog Folgetakte |
| 40 | *Allegro giocoso* nach EJ; Angabe nicht im Autograph |
| 49 | o.S.: *stacc.*-Punkt auf 2. Note nicht in GA; Ergänzung nach EJ |
| 52 | *energico* nicht in EJ; in GA Anweisung gleichgeordnet mit Haupttempoangaben |
| 74 | u.S., 1. Note: in EJ nur unterer Ton (*G*); vgl. auch T. 23 |
| 86 | u.S., 2. Quintklang *G-d* analog Autograph und T. 90; in GA und EJ bei T. 86 Oktave  |

*Juli (Lied des Schnitters)*

| | |
|---|---|
| 19 | o.S.: 2 Akzente nicht in GA und EJ |
| 42f., 49f. | o.S., jeweils 1. Akkord: Notenwert nach EJ; im Autograph Viertel (statt Achtel + Achtelpause) |

*August (Die Ernte)*

| | |
|---|---|
| 18f. | o.S.: *portato* (Punkte + Bogen) nach GA, ebenso T. 22f., 147f. und 151f. |
| 68 | *Dolce cantabile* nach GA und Autograph; in EJ ohne Angabe, in Erstauflage bei Jürgenson: *Tranquillo* |
| 84f. | u.S.: im Autograph ohne Halte- bzw. Legatobogen |
| 119 | o.S.: in GA und EJ Notierung ohne Stimmteilung, ohne Legatobogen; Angleichung an T. 123 |
| 198 | in EJ ohne Fermaten |

*September (Die Jagd)*

| | |
|---|---|
| – | – |

*Oktober (Herbstlied)*

| | |
|---|---|
| 15f. | Legatobogen über Taktgrenze fehlt in GA; Ergänzung analog T. 48f.; Bogenende in EJ an beiden Stellen zwei Noten später |
| 48 | o.S., 2. Triole, letzte Note ($b^1$): *stacc.*-Punkt ergänzt analog T. 15 und EJ |

*November (Troika-Fahrt)*

| | |
|---|---|
| 28 | o.S., Oberstimme, 3. Note: in GA und EJ Achtel fälschlich mit Doppelpunktierung bei korrekt folgenden 32steln; ebenso in T. 32, 38 und 42 |
| 42 | o.S., letzter Akkord: übereinstimmend in GA und EJ zusätzlich mit Terz $h^1$, die bei allen Parallelstellen (T. 28, 32, 38) fehlt |

*Dezember (Weihnachten)*

| | |
|---|---|
| 149-235 | Reprise des A-Teils in GA und EJ nicht ausgeschrieben; statt dessen bei T. 148 die Anweisung *Da Capo al segno e poi Coda*. In EJ ist Übergang zur Coda irrtümlich bereits Ende T. 86 (= in der Wiederholung T. 234) durch 𝄋 angezeigt |